郑栗儿／著

张慧岚／绘

大师密码 A-Z系列

大师密码N

王子的怪老师

人民东方出版传媒
People's Oriental Publishing & Media
東方出版社
The Oriental Press

图书在版编目（CIP）数据

大师密码 . N, 王子的怪老师 / 郑栗儿著 ; 张慧岚绘 . —北京 : 东方出版社 , 2015.11
ISBN 978-7-5060-8738-4

Ⅰ. ①大… Ⅱ. ①郑… ②张… Ⅲ. ①儿童故事—作品集—中国—当代 Ⅳ. ① I287.5

中国版本图书馆 CIP 数据核字（2015）第 267081 号

大师密码 N：王子的怪老师
（DASHI MIMA N: WANGZI DE GUAILAOSHI）

作　　者：郑栗儿
绘　　者：张慧岚
产品经理：张媛媛
责任编辑：张媛媛
出　　版：东方出版社
发　　行：人民东方出版传媒有限公司
地　　址：北京市东城区朝阳门内大街 166 号
邮政编码：100706
印　　刷：小森印刷（北京）有限公司
版　　次：2016 年 3 月第 1 版
印　　次：2016 年 3 月第 1 次印刷
印　　数：1—5 000 册
开　　本：720 毫米 ×950 毫米 1/16
印　　张：5
字　　数：48 千字
书　　号：ISBN 978-7-5060-8738-4
定　　价：18.00 元
发行电话：（010）64258117 64258115 64258112

目　录

出版前言

每个父母都希望孩子未来能出类拔萃，并在孩子的教育问题上倾尽心力。

许多孩子长大后成熟乐观，在社会上如鱼得水，但不少人成年后并不快乐。他们即使地位显赫、经济条件优越，依然郁郁寡欢。带来快乐的因素有很多，其中起决定作用的则是人格。面对同样的问题，不同的人格往往造就不同的结果。

怎样才能培养健全的人格？我们不妨到传统文化中去寻找答案。几千年来，儒、道、佛相得益彰，共同塑造着国人的精神世界。儒家关切社会的治理，道家关怀生命自然状态的保持，而佛家则关心人生痛苦的解除。故此，历史上就有“儒家治世、道家治身、佛家治心”的说法。

今天很多人习惯于将佛教简单理解为一种宗教，有的人甚至认为它是封建迷信。如果去掉宗教的外衣，它其实是一座充满智慧，兼具心理、品德教育功能的文化宝库。

为此，我们从台湾引进了这套“大师密码”A–Z 系列。这套书以 130 个佛教大师的成长故事，体现了 130 个美好的人格特质。沉着、孝顺、无畏、远见……从这些有趣的故事里，孩子们不但可以学会如何获得成功，更能明白如何倾听内心的声音，获得快乐。

这套书结构编排巧妙，集合了台湾优秀的作家及插画师。书中故事生动活泼，插画精美，在台湾广受好评，曾获得台湾“第 27 次中小学生优良课外读物推介”。相信它同样会得到大陆青少年朋友的喜爱。

大师的密码　成功的特质

在我还是青少年时，就很喜欢阅读佛教大师的传记故事。可以说，我的人格就是从阅读大师的史传故事，点点滴滴建立起来的。

不论大人、小孩都喜欢读故事，法鼓文化历时两年的筹备，制作了这套有丰富精美插画的“大师密码”A–Z 系列。这套书中，选出 130 个“大师的美好特质”，一个特质就是一个大师故事，让孩子在趣味的故事中自然吸收大师的养分。

我曾指出佛教的高僧必须具有四大条件：持戒清净、修行精进、慈悲济众与护持佛法；如果转换成现代人的语汇，就是自律、认真、宽大、懂得回馈，而这些正是所有成功人士必备的条件。

很多家长以为孩子学佛会变得消极、不具竞争力；如果从大师的四大条件来看，这样的想法完全错误！孩子接触佛法绝对会更积极、健康，能为他们的一生奠定稳固的基础。

大师们的成就绝非偶然，也没有人一出生就是大师，父母应该提供这样的环境，让人格正在成长形塑中的孩子，吸收历代大师们的生命菁华，转化为他们自己的。我相信这一套“大师密码”A–Z 系列，能够成为孩子们成长的助缘！

聖嚴

台湾法鼓山禅修文教体系创办人

一封没有交出去的信

大师密码 Non-attachment 不执着

喜欢创作的人，一天不写文章还可以，如果要封笔三年，大概就会受不了！万一还得当杂工，可真会闷出病来！重显大师对此却甘之如饴，不论是当杂工还是当住持，都很快乐。

重显生于富贵人家，七岁便请求出家了。他长年修学禅法，精于翰墨文章。文采出众的他，原本得到了去灵隐寺的推荐信，但他却不想攀关系，没把信拿出来。他隐姓埋名在厨房洗碗，三年下来并不以为苦，当大家知道了他的真实身份后，都大吃一惊。

后来，重显被请去当住持，将云门宗的禅法发扬光大。虽然他的诗文风靡天下，他却说自己生平最大的毛病就是“话多”。不过幸好他用优美的文字书写出历代禅门大师的智慧语，我们才能一睹这些大师的生平风采。

小档案 重显

- 国籍：中国
- 别称：云门宗中兴之祖
- 专长：诗文写作、书法、禅修
- 影响：用文字整理高僧的言行，让云门宗禅法风靡天下
- 事迹：不计较身份，在寺院打杂

在南来北往的渡口岸边，有一家生意兴隆的茶馆，许多外地人常常聚在这里喝喝茶、歇歇脚，把茶馆挤得满满的。

一名青年僧人跟着下船的人潮走进茶馆，店小二还没来得及招呼，茶馆内一位客官的声音就先响起：“这不是重显吗？怎么你也跑到浙江呢？”

青年僧人循声一看，原来是熟悉的乡亲曾会学士，重显随后了解到，曾会来浙江探亲正准备回四川去，他乡遇故知，显得格外亲切。

重显坐到曾会身旁的空椅子上，说："我跟随师父光祚禅师学禅五年，有一点小心得，想再到钱塘这一带游学参访。"

曾会瞪大眼睛，拍了下桌子说："那你应该去灵隐寺，灵隐寺是佛门圣地，你已经得到光祚禅师的真传了，如果能去灵隐寺深造就更好了！而且灵隐寺的住持珊禅师跟我挺熟的，是我多年的知交，只可惜我现在要回去了，没办法陪你一起前往。"

"没关系！我自己去好了！能得到前辈这一番宝贵的建议，已经给我指点迷津了！"重显表达了对曾会的感激之情。

此刻，曾会仍陷在无比的遗憾中，随即他又冒出一个灵感："这样吧！我给你写一封介绍信，请珊禅师好好照顾你，他一定会给你提供各种方便的。"

重显还来不及阻止他，热情的曾会已经从布包里取出纸笔，洋洋洒洒写了一封文情并茂的信，最后不忘请对方千万要礼遇、善待重显。重显收下信后，曾会好像完成了一项重要的使命似的开心告辞了。

“你一切保重！在灵隐寺如果遇上任何困难，都要写信给我，我一定会尽力帮你安排处理的。”曾会拍拍重显的肩膀，再次叮嘱一番。

重显双手合十回礼：“十分感谢学士的厚爱，旅途遥远，也请您多加保重。”

两人在茶馆外分手后，重显便沿着水汽弥漫的西湖一路走到古朴幽深的灵隐寺。一抬头望见林立着层层叠叠的大小寺院，忍不住赞叹：“这佛寺可真是宏伟壮观！”

灵隐寺是远近闻名的大丛林❶，里面的出家人至少有上千名，如果没有一点儿来头或是常住僧人，住持❷也很难知道究竟是谁住在寺中。

重显向知客僧❸表明了参学的来意后，知客僧客气地说：“请随我来！”

重显被安排和其他云游僧❹一起同住在大通铺房间内，知客僧还跟他说：“和大家同住在一起，你也必须分担一些打扫的工作。”

重显笑应：“当然！这是我的荣幸。”

知客僧想了想，问他：“那你来厨房帮忙好吗？正好缺人洗碗。”

❶ **丛林**：通常指禅宗寺院，又称禅林。

❷ **住持**：原意为久住护持佛法，后来指掌管一寺的主僧。

❸ **知客僧**：寺院中负责接待宾客的僧人。

❹ **云游僧**：指不长住寺院，四处参访、托钵修行的僧人，因为他们好像浮云一样，云游各地参学，所以称为云游僧。

重显欣喜地点头答应了，等洗完碗后，他才回到自己的床铺上，开始整理行李。重显打开他的背包，把随身的物品一一安置妥当，介绍信还好端端地放在背包底层，重显一点儿都没有拿出它的意思，直接就将背包放在架子上了。

这一放就是三年的时光，而在这期间，曾会也没收到任何一封重显寄来的求助信。

“重显还在灵隐寺吗？怎么一直都没有他的消息呢！”三年后，曾会正好有事来灵隐寺拜会珊禅师，一到寺门后，突然想起曾经帮重显写介绍信的事，他心想：“如果他在的话，以他的资质，加上我的介绍信，肯定是住持身旁的重要人物了，其他僧人应该都认得他。”

曾会忍不住向一位经过的僧人询问：“请问，重显师父在哪里呢？”

“重显？没听过有这位师父啊！”被问的僧人摸着他的光头，一脸茫然地回答。

曾会只好又向别的僧人打听，但问了许多人，都不知道谁是重显，曾会只好带着满肚子的疑问先去找住持，一见到珊禅师，急忙说：“珊师父，有件事请教一下！三年前，有没有一位重显和尚来这里游学？我还帮他写了一封介绍信，要他转交给您。”

珊禅师认真想了想，勉强有点印象：“好像有这么一位僧人的名字，但他没有拿任何介绍信给我啊！”

曾会一听，吃惊地说：“怎么会呢！”接着跟珊禅师说明了事情的来龙去脉：“这位重显非常聪慧，年纪轻轻的就开悟了！在当了五年的首座❺后，才外出游学，所以我特别推荐他到灵隐寺来找您，还帮他写了介绍信。”

❺ **首座**：即上座的意思，为僧团大众之首。必是由为众信服、德行兼备的法师担当。

“有这回事啊！”没想到灵隐寺里竟藏着这么一个优秀的人才，珊禅师立刻派人问了一下情况。

知客僧慌张地前来向住持报告说：“师父！重显正在厨房洗碗。”此刻，他心里很担心自己不知道重显的来历，派重显去做洗碗的工作，会不会被师父骂一顿。

“赶紧去请他过来！”珊禅师目光一扫，知客僧立即应了一声“是！”，便跑去厨房把正在清洗碗盘的重显叫来了。

满身油污的重显就这么狼狈地出现在曾会面前，曾会疼惜地说：“哎呀！我不是帮你写了介绍信，要你交给住持吗？他会直接给你安排妥当的，你何必干这些粗活儿呢？”

重显却笑了起来：“前辈多虑了，我洗碗洗的很开心，能为大家服务是我的福气。更何况出家人应该随缘，不应该有所求、有所执着，介绍信虽然可以带给我特别的礼遇，但这特别的礼遇却会让我变得傲慢，反而会阻碍我的修行。”

曾会听后心服口服地说："真有你的！看来是我多事了！那一封信应该还在你那里吧？"

重显回答："是啊！我把它放得好好的，现在你来了，我可以把信交还给你了！"

珊禅师在一旁听了两人的对话，知道重显绝非寻常之辈，同时更敬重他的磊落气度，便对重显说："你的修行已经到达上乘的境界，待在灵隐寺洗碗，真是太委屈你了！翠峰寺正好有一个住持的缺额请我推荐，我想你能去担任的话，就再好不过了！"

谁想到一封没有交出去的信，会带来这样的结局，而不执着于名闻利养的重显，日后果然成为振兴云门❻禅宗的中兴之主。

❻ **云门**：五家七宗之一，因开山祖师云门文偃禅师而得名，略称云宗，所以称文偃为云门文偃。

是谁下的毒？

大师密码 Noble 高洁

慧思不论长相还是性格，都与众不同。他的头上有个大肉髻，走起路来像牛一般脚步沉稳，从小就是个聪明早熟的孩子。因为喜欢读《法华经》，他还曾经把佛经带到墓地里朗读。

慧思于十七岁时出家，天台宗慧文法师传他观察心的方法，并得到法华三昧。慧思的人品高洁，吸引了众多人拜他为师，智者大师便曾冒着生命危险穿过战场，专程向他请法。

但慧思也因此招人嫉妒，被人用各种办法加害，像放火烧他的住处，在他的饭菜里下毒等，但是慧思对此都无所畏惧。原本还有人诬陷他私藏兵器，幸好诡计没有得逞，皇帝不但信任慧思高洁的人品，还尊称他为“大禅师”。

小档案 慧思

- 国籍：中国
- 别称：南岳尊者
- 专长：禅修
- 影响：为中国天台宗二祖（一说三祖）
- 事迹：不因生命受威胁，便放弃弘法

秋天的森林里，一道道阳光穿透树梢，一位散发洁净气息的僧人，正坐在一棵巨大的银杏树下，闭着眼睛诵念《法华经》❶，念着念着，人仿佛也变成了一道透明的阳光，所有的落叶都落不到他身上。当他睁开眼睛时，一只白鸟恰巧振翅飞过森林，他看着白鸟消失后的天空，露出了会心的一笑，感觉天空已辽阔成一部巨大的《法华经》。

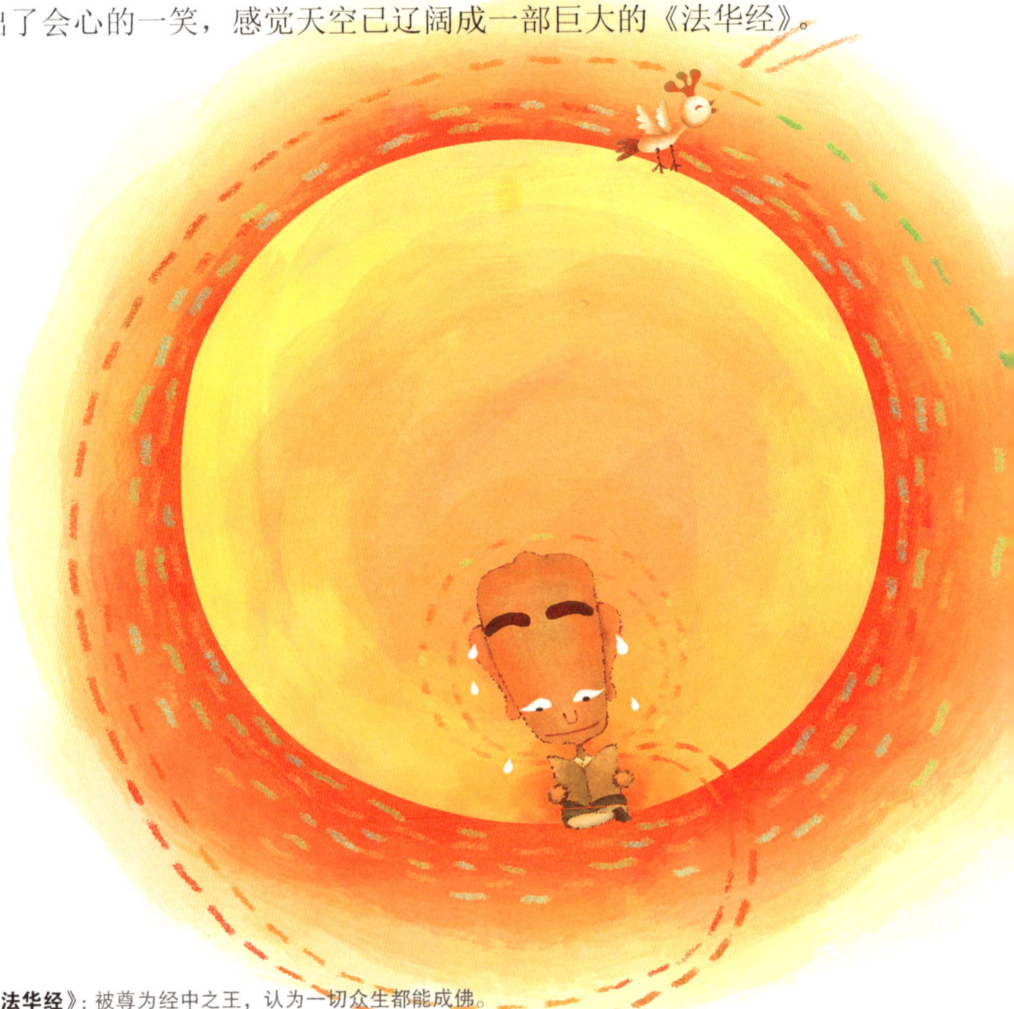

❶《**法华经**》：被尊为经中之王，认为一切众生都能成佛。

这位名为慧思的僧人，在历经一整个夏天不分昼夜的用功后，对自己还是没什么进步感到很惭愧。想想一生就这么空过了，他叹了一口气，舒展开因久坐而紧绷的身体，往墙壁歇靠着。就在这放松的片刻，他放开了内心的执着，竟然就悟到了《法华经》的真理。

慧思的师父慧文❷禅师对他能够这么快就开悟，感到很欣慰，却同时又有一点儿担忧：“慧思，你平时努力用功，很少和人往来，不知人心险恶。像你这样单纯的人，在现今混乱的时局里，其实是很危险的，因为别人一定会嫉妒你，会想尽办法迫害你，把你拉下来。你往后讲法、教学，可千万要小心啊！”

慧思很感激师父的关心，说：“师父，我会尽量注意的。不过真的遇到困难或打击，怎么挡也挡不住时，我就把它当作是一种考验，不会受影响的。”

慧文听后，松了一口气说：“看来你已经彻底开悟了，那师父就放心了！”

❷ **慧文**：中国六朝时的高僧，世称北齐尊者，传法给门下最杰出的慧思。

得到了师父的认可，又得到于鉴和最诸禅师的赞许后，慧思禅定功夫的声名远播四方，就连当时的齐文帝也邀请他进宫接受供养，但为了避免为名利所累，慧思并没有答应，而是选择行脚天涯。慧思每到一个地方，都会吸引一群人跟他学习禅法，追随他的徒众愈来愈多，果然如慧思的师父所料，这为他带来了意外的伤害。

这一年，慧思到兖州讲禅法，由于讲得十分精彩，听众非常多，简直是万人空巷，这引起了当地几位有名的僧人嫉妒不已：“慧思才来此地不久，就把我们的风头给抢走了！如果他一直留下来的话，我们岂不是乏人问津了吗？”

众人愈说愈激动，而且个个愤愤不平，其中一个说："不如拿几个香油钱给他，叫他走人去别处算了！"

另一位听过慧思说法的人却摇头："听说他年少时还跑到空坟和古城穴去读经，像这种苦修过的人是很难被金钱收买的。而且，他的道行绝对在我们之上，只要他在这里一天，我们就别想有一天好日子过！"

还有人提议："给他抹黑如何？就说他是邪门歪道，慧思的徒弟很多，其中一定有些鱼目混珠的人。"大家议论纷纷，却莫衷一是。

这时，有人撂了狠话："为免除后患，一不做二不休，干脆把他杀了！"几个人你看看我，我看看你，虽然觉得这个提议有点儿过分，但在群情激愤下，大家竟都失去了理智，决定放手一搏。

于是，几个人便假装亲近慧思，有一次趁别人不注意时在慧思的饭中下了毒，慧思吃完饭后，只觉浑身虚脱无力，没办法再继续说法了，被弟子们搀扶到房内休息，慧思头冒冷汗地说："我被人下毒了！幸好我的禅定功夫够，能够把有毒的食物逼到胃里，不让它们顺着肠子下去——"话还没说完，食物就全被吐了出来。

弟子们吓了一大跳，有的帮忙清理并照顾师父，有的去追查可疑的嫌犯，那些下毒的人知道慧思并没有被害死，便赶紧逃离了现场。慧思吐完后，精神慢慢恢复过来了，他轻声跟弟子们交代："别追了！下毒的人一定是不想让我继续待在这里，等我身体好一点儿后，我们就离开吧！"

弟子们不服气地说："怎么能就这样轻易放过他们呢！"

慧思说："清者自清，浊者自浊，清水倒入浊水中不也一样混浊了？退一步海阔天空，何必浪费力气跟恶人斗呢！"这番话说得弟子们哑口无言，只能敬佩师父的高洁气度。

就这样慧思离开了兖州，转往其他地方，不料又再度遭到毒害，万幸的是慧思又逃过了一劫，心中依然不以为意，只选择默默地离去。几度迁移，慧思师徒最后来到了南岳。

久居南岳的九仙观道士欧阳正，早就看见一位外形出众的和尚，率领着众僧人往山顶走去，好像一群美丽的白鸟飘过，心里觉得很纳闷：“他们来这里做什么呢？领头的和尚看起来修行还很高哩！”

他摇着尘尾，好奇地跑过去问了一下，从一位僧人口中得知，他们是跟随慧思来这里避难的，欧阳正心头一惊：“这还得了，慧思是鼎鼎大名的禅师，他如果在这里定居，恐怕我的信徒都要跑去他那边了！”

为避免“资源”被慧思分食，欧阳正偷偷拟了一纸诉状，直接送到皇帝那里，诬陷慧思私藏兵器，有通敌的嫌疑。皇帝立刻派人搜查寺院，却查不到任何兵器，便将慧思带回宫内问话。

当时天空正好下着雨，慧思身上的衣服不但没有被淋湿，鞋子踏过泥地时竟然还能保持干净。众人见此都觉得很神奇，皇帝看到慧思超然的模样，内心十分仰慕。

皇帝问完话后，知道慧思确实没有私藏兵器，便大发雷霆要严办道士欧阳正，却被慧思阻止了：“我不小心闯入欧阳道士的传教领域，才使他出此下策来驱逐我，如果皇上严办他，他的道观因此关闭，岂不是也陷我于不义，教我如何让大众信服呢？”

皇帝一听，更加佩服慧思崇高的品德，并请他住到皇宫旁的寺院里，白天谈理，夜晚修禅，并尊慧思为南北朝定慧并重的“大禅师”。

喝茶了没？

大师密码 Natural 自然

如果有个老师总是教导学生"去喝茶"，你会不会觉得很奇怪，喝茶能学到什么呢？

唐朝的赵州禅师却是用这种方式教导学生修行的，他从不长篇大论地讲很多道理，而是以喝茶、吃粥的方法引导学生从日常生活中领悟禅法。

一百二十岁的赵州，原名从谂，幼年在沪通院出家，五十岁后开始云游四方，直到八十岁时，应大众请求于赵州城东的观音院担任住持。此后四十年间，他大大振兴了南宗禅，所以世人又称赵州为"赵州禅师"。

赵州一生奉行"平常心是道"的自然禅风，他将佛法完全融入日常生活中，强调不管是吃饭还是睡觉等日常活动，只要专心去做，便是修行。

小档案 赵州

- 国籍：中国
- 别称：赵州古佛
- 专长：禅修、喝茶
- 影响：平常心是道的禅风，启发深远
- 事迹：在日常生活中体会禅心

从二十岁起，赵州从谂就跟随南泉普愿[1]参禅，前后四十年间，从一个青年僧到一个老和尚，赵州可以说是愈活愈天真、愈活愈自然了。

有位僧人觉得赵州的做法很奇怪，怎么会跟同一个老师学这么久的禅法呢？便好奇地问他：“究竟南泉普愿传了什么法给你？”

❶ **南泉普愿**：普愿为唐朝僧人，曾于池阳南泉山建禅寺，三十多年不出山，后应大家推请出山，大扬禅法，留下许多脍炙人口的故事，世称南泉普愿。

赵州看了那位僧人一眼，冒出一句："镇州盛产大萝卜！"

僧人愣在那里："谁都知道镇州盛产大萝卜，干吗跟我说这种平常事呢？"正想再问下去时，赵州却不见了。赵州可没乱说，他的意思是他师父所传的法就包藏在平常的事中，要自己用心去体会。

这一年的寒流来袭时，穿着单薄的赵州走到户外，忍不住打了个哆嗦和喷嚏，但他继续往院子走去，也不回房多加一件外衣。

一名来访的僧人看见了，便问他："我们用了一辈子的身体，未来会不会坏呢？"他看似想叫赵州多穿衣物，以免着凉，其实是想拐一个弯借机说道理。

一阵寒风吹来，赵州又打了一个喷嚏，鼻涕都快流出来了，他顺口回答："会坏！"

僧人又问："既然会坏，难道就随它去了？"

赵州不假思索地跟着应了一句："自然随它去！"

赵州一说完，径自往前走去，把这名僧人丢在一旁，而他一边走一边回味着自己脱口而出的那句话，最后索性站在院子里自问自答："既然随它去，我为什么不随它去呢？"

赵州在冷风中站了半晌，忽然，他用力拍了一下自己的光头，大笑一声，就头也不回地步出寺院，快活云游去了！原来，赵州悟到了生命的自由自在，于是开始了他之后二十年随遇而安的行脚生活，像一朵云一样四处飘移不定。

有一次，他在云居禅师寺中借住，云居禅师关切地问他："你都这把老骨头了，还在东奔西走，何不干脆找个长居久住的地方安心修行呢？"

赵州却问："哪里是我可以长居久住的地方呢？"

云居禅师认真想了想，指着前方说："这山前有一个废弃的寺院，你不如把它整修一下，就可以住进去了。"

赵州并不以为然，反而跟云居禅师说：“那和尚怎么不自己去住呢？我追求顺其自然，连走路都是在修行，何必贪恋一个住处呢？”说完，又像云一样飘走了。这朵云最后总算停落在河北的赵州观音院了，而这时候，赵州已经是一位八十岁的老人家了！

公鸡叫醒了所有人，清晨喝早茶时，赵州禅师捧着热乎乎的茶正在喝着，一位新来的弟子匆匆跑来见他，赵州禅师问他：“你是新来的吗？”

弟子恭敬回答：“是！”随后，他站在一旁耐心地等候老和尚可能会有进一步的教导。

但老和尚喝了一口茶，却站着说：“去喝茶。”弟子只好去喝茶。

这时又来了一位弟子，也来向赵州禅师请示，赵州禅师问他：“你是新来的吗？”

这名弟子摇头说：“不！我已经在此住了一段时间了！”

赵州禅师点头，仍然说：“去喝茶吧！”

这时，旁边一位胖胖的弟子看了觉得很纳闷，便侧头问：“师父，怎么新来的您要他去喝茶，在此久住的您也要他去喝茶，连一句佛法都没说呢？”

赵州禅师又喝了一口茶，抬头看着胖弟子：“你喝茶了没？”

胖弟子回答：“没！”

赵州禅师手一挥，说：“那你也去喝茶！”

胖弟子露出疑惑的神情：“可是——”

赵州禅师不等他说完，回他一句：“可是什么，现在是喝茶的时间就去喝茶，什么时候该做什么事，顺其自然，这还不懂！”

胖弟子恍然大悟：“哦！师父，我知道了，这叫活在当下。”

赵州禅师放下手中的茶碗，只轻声说：“去喝茶！”

胖弟子回了好大一声：“是！”就跑去喝茶了。

来年春天，燕子飞回观音院筑巢时，又有几名新弟子前来学禅，他们对寺院的生活虽然还不熟悉，但心里都想：“听说赵州老和尚很了不起，一定要跟他好好学习。”随后，几人便相约去见赵州禅师，第一位学僧双手合十说：“弟子初来参禅，请师父开示。”

赵州禅师没说什么，问他：“你吃过粥了没？”

学僧回答：“吃过了！”

赵州禅师便指示他：“那去把碗洗一洗吧！”这位学僧很有慧根，一听就开悟了，粥吃完了就洗碗，这种自然的道理就是佛法，只要老实去做了，根本不用多说什么，或是想东想西，计划一堆。

第二位学僧也说：“弟子今天刚来佛寺，请师父开示。”他说话时心底却是战战兢兢的，不知师父会说些什么。

结果赵州禅师一样问：“喝过茶了没？”

学僧回答：“喝过了！”

赵州禅师也指示他：“那你去客堂报到吧！”

就这样吃粥的吃粥，喝茶的喝茶，报到的报到，一群新生忙得很，把寺院宁静的气氛弄得活泼起来了！另一位也是初来的新学僧，看老和尚也没特别在打坐，也没读什么佛经，跟一般人一样吃饭睡觉，不是吃粥，就是喝茶，都是一些日常活动，以为境界高的修行者就不必再修行了，便向他请示：“师父，请问修行的人应该如何？”

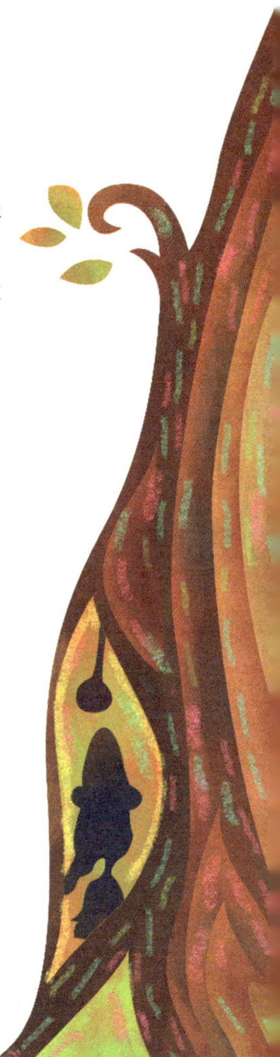

赵州禅师直接说：“我就是在认真修行啊！”他说话时，胡子忽然被风吹得一团乱，也不理一下，那样子实在很好笑。

弟子忍住笑又问：“咦？连师父都还要修行啊？”

赵州禅师说：“当然啦！师父也要吃饭，也要穿衣，还要上厕所。”

弟子笑说：“这哪里是修行啊！不过是芝麻绿豆大的平常事。”

风停了，赵州禅师的胡子终于从脸上又垂下来了，他笑着反问弟子：“那你以为修行的人每天在做什么？如果饭不好好吃，衣服不好好穿，连平常的事都不尽心尽力去做，还要修什么行呢？”

弟子顿时被禅师的话给敲醒了，他豁然明白了修行的真义——眼前这位老和尚，早已将佛法完全融入生活中，成为一个最自然的人。弟子看着禅师，也跟着哈哈笑了起来。

赵州禅师当了四十年住持，直到一百二十岁才离开人世，不仅传扬了他的师父南泉禅师“平常心是道❷”的自然禅风，更是青出于蓝而胜于蓝，因此后人尊称他为“赵州古佛”。

❷ **平常心是道**：为禅宗用语，表示修行是与日常生活合而为一的。

一棒打出一个高徒

大师密码 New 全新

如果你没头没脑地被人大喝一声，在回过神来后，恐怕会气得提起棒子回敬对方一番。但是临济义玄禅师的弟子，可都对老师的冷不防大喝，感恩不已。义玄不只常喝骂学生，无论学生提出什么问题，他的大部分回答也都是“吓！”的一声大叫。

义玄这种与众不同的教学方法，被后世称为“临济喝”，虽然严厉却充满慈悲的爱，它是帮助人破除烦恼的一种独特禅风。

义玄出家后，因为十分仰慕禅宗，便跟随黄檗禅师学禅。他曾向黄檗禅师提问题，没想到问了三次就被打了三次，最后终于大彻大悟。

六十八岁时，义玄离开黄檗禅师，在河北镇州临济院当了住持，开创临济宗，发展成为中国禅宗，并成为流传最广远、最发达的派别之一。

小档案 临济义玄

- 国籍：中国
- 别称：临济宗始祖
- 专长：禅修、大声一喝
- 影响：开创临济宗
- 事迹：以“临济喝”启发人心

听见清晨的鸟鸣，义玄睁开眼睛结束了漫长的静坐，他凝视着天空。

来黄檗山拜希运❶禅师为师已经三年了，个性有点儿内向的义玄，虽然资质优异，但还是没有开悟。他离开打坐的蒲团，起身到室外呼吸着新鲜空气，迎面就遇见了寺内的首座法师睦州。

睦州看着这位清俊的僧人，似乎猜中了他的心事，忽然问了一句：“你来这里多久了？”

义玄愣了一下，回答：“三年了！”

❶ **希运**：唐朝僧人，于洪州黄檗山出家，人称黄檗希运。临济义玄为他门下的杰出弟子。

睦州又问：“你参问过老师没有？”

“没有！”

睦州便鼓励他：“那你去跟师父请问‘什么是佛法大意’。”

经睦州这么一说，义玄才想到：“对！只一个劲儿傻傻坐下去，思索佛法真义，殊不知遇上问题是可以单独去请教师父的！”

这个希运师父本来话就不多，不说话的时候更是静得像一块硬石头，没事谁也不敢去找他。义玄跑去禅堂向希运禅师请教，原以为师父再怎么严厉，也会开口说两句道理，没想到希运禅师一句话也不说，还莫名其妙地用香板❷打了他一顿，打得义玄脑子一片空白，连原本要问什么都忘记了！

❷ **香板**：为长扁平形的木板，上刻有“警策”字样，用以警示僧人用功修行，以维系僧团的规矩和秩序。

“这算是新式教学法吗？还是我的问题太蠢了？师父什么也没说就打了我一顿。”义玄向睦州抱怨，睦州还是要他再去问一次，结果又一样被打了。就这样连问了三次，被打了三次，打得义玄心灰意懒地想要离开这里了。

他向睦州告辞：“看来我是太笨了，不能领会师父的意思。”

睦州提醒他：“你要走也得去跟师父说一声啊！”

接着，睦州跑去找希运：“这晚辈是个奇才，你一定要给他指引一条明路，将来他成为一棵大树，所有人都可以得到凉爽。”

于是，希运禅师终于开口了，他对义玄说：“你去大愚和尚那里吧！”

义玄便去找大愚，大愚和尚问他来干什么，他说：“不知我哪里做错了，三次去问师父什么是佛法大意，三次都被他打了！”

大愚和尚哈哈大笑：“希运这样婆婆妈妈地连打你三次，就是为了帮助你悟得佛法，他把自己累得半死，你还跑来问我你哪里错了？”

义玄一听就恍然大悟了，师父果然是新式教学法——不用“言语”来回答，而是用“行动”来给答案——直接打得自己所有的念头都消失了，心底一片清澈。

“我确实太笨了，以为人和人之间的沟通要用言语说了才明白，佛法不是知识，要亲自去体会，用说的也说不清楚，我真是误解了师父的新式教学法！”

告别了大愚和尚，义玄又回到黄檗山继续修行，他果然得到希运禅师的真传。后来他到河北开始弘法，途经一座达摩[3]塔时，塔主问他："你是先拜释迦牟尼佛呢？还是先拜禅宗的达摩祖师？"

没想到义玄回答："都不拜！"

塔主大惊："你和他们有仇吗？怎么都不拜呢？"

义玄笑了一声，什么话也没说潇洒地离去，留下一脸错愕的塔主："这是什么新禅师啊？竟敢这么大胆！"

[3] **达摩**：印度人，为中国禅宗初祖。于梁武帝时来到中国，因与梁武帝话不投机，在嵩山少林寺面壁坐禅，后传法给二祖慧可。

这时只听到风中传来义玄的声音:“不要只在木像前烧香、磕头，学别人做样子，你必须走你自己的路，否则只会在佛法的皮毛上白忙一场。”塔主四处追寻，却看不到义玄的身影。

受到师父的启发，义玄果然走出了自己的一条全新道路，当他受邀在河北镇州创立临济宗时，便创新了几种特别的教学方式，来帮助弟子直接快速地开悟，其中最著名的就是棒喝[4]。他因为被希运禅师的棒喝打得开悟了，所以也发展出不同的棒喝方式，随机运用，让弟子们顿时明白禅理。

有一天，一名弟子忽然问他:“师父，什么是佛法大意？”就跟当年愣头愣脑的自己一样。义玄不假思索地拿起拂子就要打他，弟子被师父突如其来的举动吓得连忙大喝一声，义玄不管，还是照打不误。

[4] **棒喝**：禅师以棒打或大喝一声，帮助弟子破除妄念的一种方法。

弟子仍不死心，一边跑一边又问："师父，什么是佛法大意？"

义玄仍然拿起拂子要追打，弟子跑得更快了，大声地回喝他："吓！"义玄也像一头狮子一样喝着弟子，等弟子停下来，想要再发问时，义玄逮住机会终于打到他。两人就像在玩猫抓老鼠的游戏。

这时，义玄转而对所有的弟子正经八百地说："各位，你们要得到佛法，就要有不惜生命的决心，当初我在黄檗希运师父那里，三次问佛法大意，三次被打，现在我也想再挨一顿打，谁来下手呢？"

另一位弟子说："好啊！我来打！"义玄拿起一根棒子，弟子伸手来接，还没接到手，反而被义玄打了一顿。

像这样老师和弟子彼此喝来打去的情况，在临济宗可说是家常便饭，经常可以听见禅堂里此起彼伏的大声一喝，成为最突出的“临济喝”禅风。义玄运用全新的方式来助人开悟，他也希望弟子们能走自己的路，不要跟着依样画葫芦，否则他的禅法反而会变成弟子们的另一个框框。

义玄禅师在临终前，还特别向弟子们叮嘱：“生老病死是人生必经的过程，我死了以后，你们也不必太过悲伤，好好把我的新式教学法门传下去才是要紧事，千万不要让它消失了！”

他的高徒三圣慧然听到后，赶紧说：“师父请放心，我们怎敢灭了您的教法呢？”

躺在床上的义玄反问他：“好啊！那以后有人问起禅法，你怎么说呢？”

三圣慧然马上对着义玄大喝一声：“吓！”

义玄摇头叹气说：“你这哪儿算是新式教学法，根本就是抄我的。”

这一说，三圣慧然才豁然明白师父新式教学法的真义：依照自己的方式，不要受教条的束缚来活用佛法。而义玄禅师如此独立思考的创新精神，使得临济禅成为影响中国禅宗最深远的主流禅法之一。

王子的怪老师

大师密码 Nurture 培育

帝洛巴与那洛巴这一对师徒看起来行为十分古怪，一个总爱指使弟子去做冒险的事，另一个则乐于被指使，唯命是从。如果不仔细说明两人的出身，一般人恐怕会以为他们是一对乞丐父子。

帝洛巴出生于一个尊贵的婆罗门家庭，原是精通经律论三藏的法师，但他并不以此自满，反而游遍印度跟从多位老师学习，曾独自在坟场禅修了十二年。

那洛巴原为普贤王子，被父母逼婚，幸好妻子愿意成就他的出家心愿，所以他能如愿地在那澜陀寺研究佛学，并担任住持。

在那洛巴追随帝洛巴的十二年内，帝洛巴剥除那洛巴的种种执着。最后，那洛巴通过了考验，也成为了印度的大成就者。

小档案 帝洛巴、那洛巴

- 国籍：印度
- 专长：密法
- 影响：同为印度大成就者，传下重要的那洛六法
- 事迹：帝洛巴以魔鬼式训练教育那洛巴

那洛巴是一个身份尊贵的王子，同时也是一个地位崇高的佛教智者，谁有资格可以当他的老师呢？那洛巴也这么认为：“在这个世界上已经没有任何人可以当我的老师了！”

没想到有一回那洛巴在修法时，耳朵旁边不断传来一句：“帝洛巴、帝洛巴，东方有一位伟大的帝洛巴。”

那洛巴睁开眼睛，觉得这件事很神奇，心想：“难道还有比我更厉害的人不成？”于是，他便动身前往东方寻找，想找到有没有一位名叫帝洛巴的大师，可是他走遍了东方的每一寸土地，就是没有帝洛巴的任何消息。

有一天，他寄宿在一间老旧的寺院，准备第二天返回去。

黄昏时，厨房里出现了一名全身脏兮兮的老人，正在火堆上烤活鱼。只见几条鱼痛苦地跳来跳去，不断挣扎着，这让人看了于心不忍。那洛巴有点儿不高兴地责备老人：“这里好歹也是佛寺，你怎么可以随便杀生呢？”

老人好像耳聋了一般，根本不理他，还继续用夹子在翻鱼，这种无理的态度连佛寺里的僧人都看不下去了，连忙出面制止，被推开的老人气得说：“好啊！你们不高兴的话，就把这些烤鱼放回水里好了！”

那洛巴觉得这老人真是太荒谬了，便指责他说：“鱼都被你烤死了，你现在把它们放回水里有什么用？”

老人仍然不理会那洛巴，动手将烤死的鱼放进一旁的水缸内，没想到死去的鱼儿，竟然一条条又活了过来，在水中自在悠游着。

所有人都惊得目瞪口呆，那洛巴知道这老人一定是个不平凡的大修行者，赶忙跪在地上顶礼：“弟子真是有眼无珠，不知道师父您如此神通广大。”

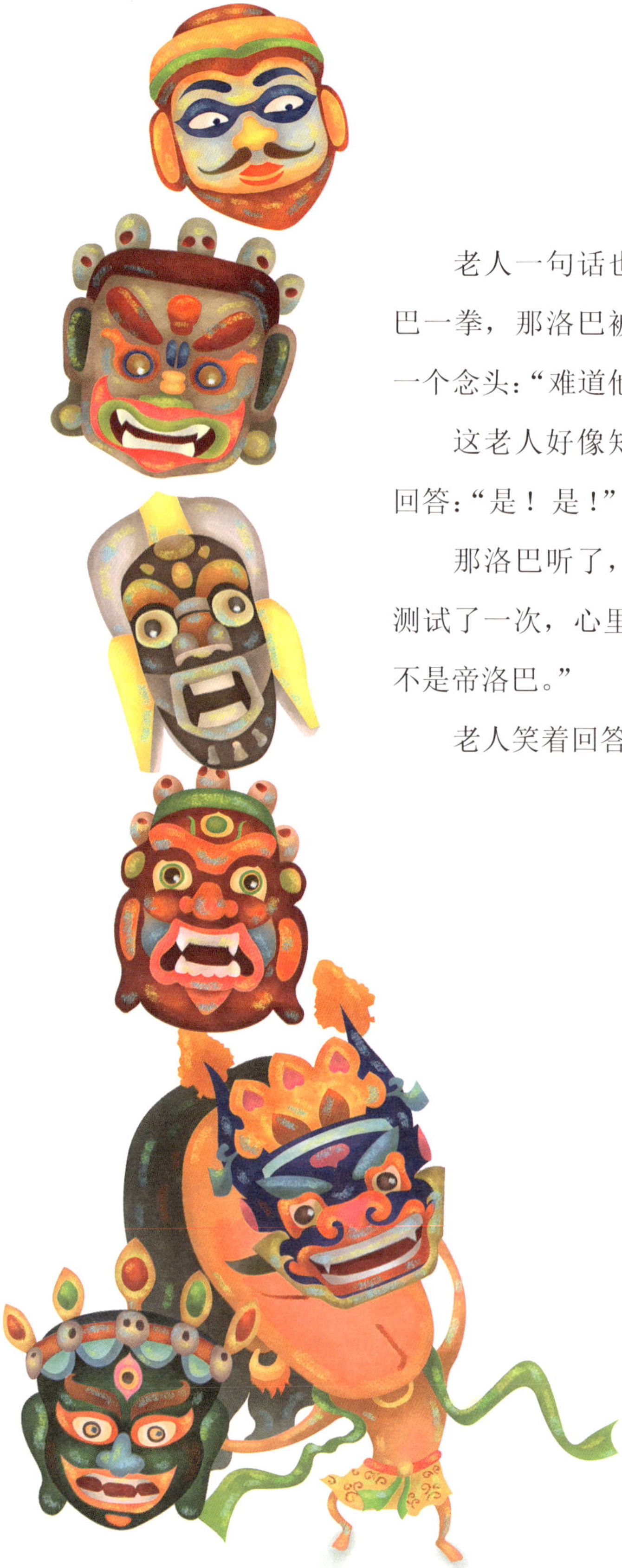

老人一句话也没说，反而还打了那洛巴一拳，那洛巴被打倒在地，他心里起了一个念头：“难道他就是帝洛巴吗？”

这老人好像知道他的想法，竟然点头回答：“是！是！”

那洛巴听了，脸色大变，他怀疑地又测试了一次，心里暗想：“不！这老人可能不是帝洛巴。”

老人笑着回答：“不可能不是！”

那洛巴跟着坦然一笑，因为他已经找到了他的老师——帝洛巴。

从此那洛巴便跟随帝洛巴，奇怪的帝洛巴有时是个洞察一切的圣哲，有时却像神志不清的疯子，要那洛巴做出很多不合常理的行为。那洛巴总是尽量满足师父的要求，但是心中忍不住充满了疑问："师父为什么这样无理呢？"

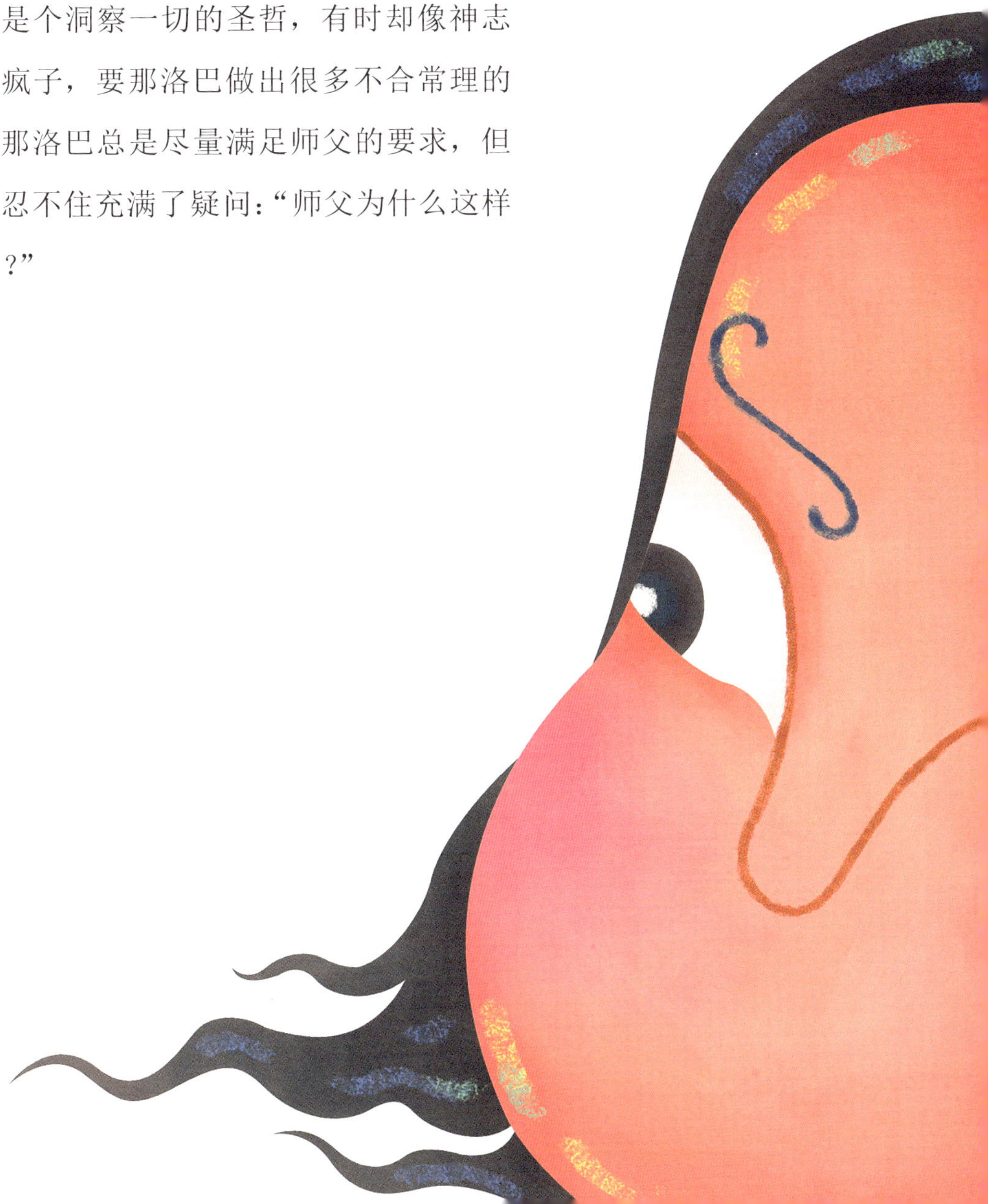

有一次，那洛巴参加了一场豪华盛大的婚礼，他把得到的一篮蔬菜礼物，带回去献给帝洛巴。原本期望帝洛巴会开心地称赞他：“什么事都第一个想到老师，真是个好弟子！”

没想到帝洛巴像饿昏了的老山羊，两三口就把蔬菜吃光了，还怪他说：“你怎么只带这一点点菜来供养我，你这样算孝顺吗？去去！再给我拿一些来。”

那洛巴面有难色，因为按当时印度的习俗，已经接待过的客人，是不能再接受招待的。但师命难违，那洛巴只好硬着头皮，跑回婚宴现场，趁四下无人时，偷偷又拿了一篮蔬菜，却不小心被眼尖的新郎的父亲看见了，他大喊一声：“喂！那洛巴，你一个堂堂的修行人，怎么偷拿别人的东西呢？”

那洛巴提起菜篮，拔腿就跑，一群宾客和新郎的父亲跟在后面追他，最后那洛巴被追上了，他紧紧抱着菜篮，不顾别人的拳打脚踢，就是不肯还回蔬菜。新郎的父亲气得踹了他一脚：“你脸皮怎么这么厚啊！”他在出了一口气后，转头对大家说：“算了！就给他吧！反正他也得到了教训。”

新郎的父亲不愿再计较下去，带领宾客们离开了。鼻青脸肿的那洛巴总算完成了任务，将菜篮交到师父手上，但师父只顾着吃，也不管那洛巴的伤势如何，连一句安慰的话都没有。

“唉！师父真是太冷酷了！”经过许多折磨后，那洛巴忍不住这样感叹。

正在睡觉的帝洛巴，起床回他一句：“谁说我冷酷，走！现在我就传给你最殊胜的法门。”

那洛巴跟着师父来到一个空旷的荒野，帝洛巴又说："好！现在你只要献给我纯净的水，我就传法给你！"

那洛巴眉头一皱，看看空荡荡的四周，回答说："师父！您不早说，这里哪儿来的水呢？"

帝洛巴指着他的身体："你的身体里不是流着血吗？"

那洛巴睁大眼睛，问："师父是要我以血代水？"

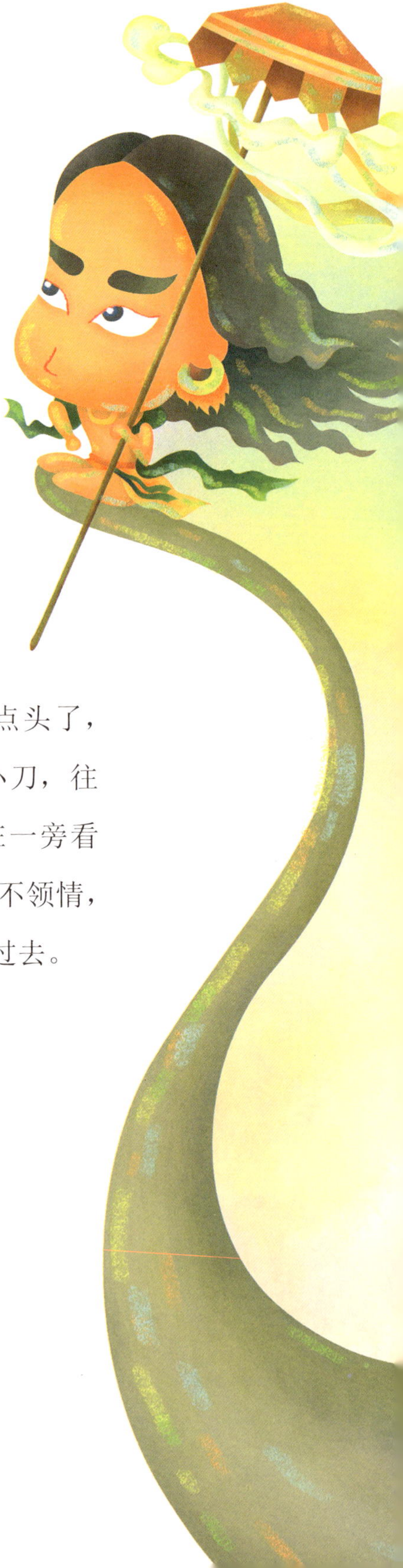

帝洛巴点点头，那洛巴知道一旦师父点头了，无论如何也得尊重他的意见。那洛巴拿出小刀，往自己身上一划，立刻流出大量的鲜血。而在一旁看到弟子如此恭敬地服从命令的帝洛巴，不但不领情，还拿出拖鞋往那洛巴头上一打，把他打昏了过去。

不久，那洛巴醒来了，他却发现自己身上一点儿伤都没有，更奇怪的是，他得到证悟了。

这时，他的师父说话了：“你出身尊贵，从小就养尊处优，虽然修行了，但内心还是非常自大，处处想要得到别人的赞美，所以，我才要断除你的傲慢心和对虚假名声的眷恋。如今你得到了证悟，从现在起，记住不要和人争论，也不要教导弟子或说教，好好地体验佛法的真义，你很快就会有大成就的。”

那洛巴这才恍然明白了师父的用心良苦，为了培育自己却装疯卖傻地磨炼自己的习性，他感动得哭了：“师父，您真是我的好老师啊！”

有这样一位好老师的悉心教导，那洛巴果然成为印度伟大的修行者之一，他的学生西藏译师马尔巴❶将他的法门带回西藏，传递给密勒日巴❷，振兴了往后西藏的佛教。

❶ **马尔巴**：西藏佛教噶举派创始者，为著名的藏梵双语大译师。曾经多次留学印度、尼泊尔，向老师那洛巴学习了许多重要密法。

❷ **密勒日巴**：密勒日巴是马尔巴门下最为杰出的弟子。他是西藏著名的圣瑜伽士，后人将他的诗歌作品结集为《十万道歌集》。